Fig. 2

EL PALACIO
DE MALDONADO

FIG. 3

JOSÉ LUIS MALHO FERNÁNDEZ
DIEGO MALHO GALÁN

EL PALACIO
DE MALDONADO

EDICIONES UNIVERSIDAD DE SALAMANCA

HISTORIA DE LA UNIVERSIDAD
82

©

Ediciones Universidad de Salamanca
y los autores

1.ª edición: abril, 2009
ISBN: 978-84-7800-290-0
Depósito legal: S. 550-2009

Dirección de la colección y asesoría científica:
Centro de Historia Universitaria Alfonso IX

Fotografías:
Fotos Paz, Volconsa, José Luis Malho, Pedro Vázquez.

Diseño, maquetación y fotomecánica:
TRAFOTEX Fotocomposición, S. L.
www.trafotex.com

Impresión y encuadernación:
Imprenta KADMOS
Salamanca

Impreso en España-Printed in Spain

Ediciones Universidad de Salamanca
Plaza San Benito, s/n.
E-37002 Salamanca (España)
http://www.eusal.es
Correo electrónico: eus@usal.es

ƒ

CEP. Servicio de Bibliotecas

MALHO FERNÁNDEZ, José Luis

El Palacio de Maldonado / José Luis Malho Fernández, Diego Malho Galán.
—1.ª ed.—Salamanca : Ediciones Universidad de Salamanca, 2009 64 p.—
(Historia de la Universidad ; 82)

1. Palacio de Maldonado (Salamanca, España). 2. Arquitectura-España-
Salamanca. I. Malho Galán, Diego

728.3(460.187)

Índice

Fig. 4

Introducción

En julio de 1520, en el monasterio de San Francisco de Salamanca, se produjo un enfrentamiento entre don Pedro Maldonado Pimentel y don Francisco de Ribas en torno a si se debía o no auxiliar a la ciudad de Segovia, que se había sublevado contra aquellos que representaban al poder real. Ambos, en un momento de la discusión, hicieron ademán de desenvainar sus espadas, corriéndose el rumor por toda la ciudad de que don Francisco de Ribas (fig. 5) había intentado matar a don Pedro, lo que motivó que una turba de «más de dos mill onbres armados», que apoyaban a este último, buscasen a aquél «para le

Fig. 5

ahorcar». Éste pudo huir de la ciudad, pero no pudo evitar que una muchedumbre enfurecida acudiese a su casa para asaltarla y quemarla.

Este incidente violento supuso uno de los puntos de arranque de la guerra de las Comunidades en Salamanca, destacándose como líder de los comuneros el citado don Pedro Maldonado Pimentel. Por otro lado, se significó como el último de los muchos enfrentamientos producidos desde treinta años a esta parte entre la familia del doctor Rodrigo Maldonado de Talavera (abuelo del comunero y promotor de la Casa de las Conchas) y la familia Fonseca-Acevedo (encabezada por el arzobispo de Santiago).

Es precisamente a los arzobispos de Santiago –don Alonso de Fonseca y su homónimo hijo– a quienes servía como mayordomo (el que se ocupa, entre otros, de los asuntos económicos de la casa) el caballero don Francisco de Ribas desde hacía más de veinte años, siendo uno de sus más principales valedores en la ciudad de Salamanca.

Como hemos dicho, a don Francisco le quemaron y le derribaron la casa, situada ésta en la plaza de San Benito, quedando de ella únicamente el solar, que a su muerte heredaría su sobrino don Diego Maldonado y sobre el que nueve años más tarde se encontraba edificando su emblemática morada, que ha llegado hasta nuestros días con el nombre de Palacio de Maldonado[1].

Fig. 6

El promotor,
don Diego Maldonado

Sin duda, una figura importante en la Salamanca de la primera mitad del quinientos, al que se le conoció tanto en vida como tras su muerte con el sobrenombre del cargo que ostentó al servicio del arzobispo don Alonso de Fonseca, que no es otro que el de su camarero.

Poco es lo que se sabe sobre su ascendencia, pero podemos decir que fue el segundo hijo de don Pedro Maldonado y de doña María de Ribas, y que debió de nacer en Salamanca entre 1480 y 1490. Emprendió la carrera eclesiástica, tal como era costumbre en los hijos segundones, hecho éste que no impidió que se convirtiese en el miembro de la familia que más medró y se significase socialmente.

La influencia de su tío, el caballero Francisco de Ribas, hizo que al menos desde 1514 sirviese al arzobispo de Santiago (más

FIG. 7

tarde de Toledo) don Alonso de Fonseca III como camarero, esto es, el responsable de su cámara, ocupándose de los intereses personales del prelado.

Aunque pertenecía a una familia pudiente y privilegiada de la ciudad, era común en la época establecer lazos clientelares con poderosos personajes influyentes en las altas esferas del Estado; de tal modo que si su tío don Francisco de Ribas estuvo al servicio del arzobispo don Alonso de Fonseca II –hecho por el cual fue enterrado cerca de él en el monasterio de las Úrsulas–, su sobrino, el camarero, sirvió a don Alonso de Fonseca III, recibiendo el mismo privilegio de poderse enterrar en la capilla que para tal efecto hizo el arzobispo en el colegio mayor que fundó en Salamanca. Del sepulcro con bulto y altar que mandó construir el camarero han llegado hasta nuestros días el arco que lo cobijaba –situado en un brazo del crucero, como lo certifican los escudos en su interior– y la representación escultórica del yacente, que se encuentra actualmente desplazada de su ubicación original en la antesacristía (fig. 7).

Podemos destacar un punto de inflexión en su vida que es 1534, año del fallecimiento de don Alonso de Fonseca. Hasta esa fecha se dedicó en gran medida a trabajar al servicio del prelado, al que acompañaba con frecuencia en sus viajes, lo que le reportó grandes privilegios: canónigo de la Catedral de Santiago y de Toledo, beneficiado de diversas iglesias o, no menos importante, poderse relacionar con importantes figuras del mundo político (la emperatriz y la alta nobleza) y artístico (Juan de Álava, Rodrigo Gil de Hontañón, Alonso Berruguete o Alonso de Covarrubias).

A partir de 1534 –y hasta su fallecimiento en 1544– se centró en sus asuntos personales, dedicando especial esfuerzo a acrecentar su patrimonio y a perpetuar su memoria. Asentado ya definitivamente en Salamanca, es en este período cuando invierte con mayor intensidad en la compra de diferentes bienes (casas, tierras, censos, juros), pero sobre todo es cuando trataría, viendo que el fin de sus días no andaba lejano, de perpetuar su linaje y su patrimonio a través de una hija natural –doña Ana Maldonado– a la que consiguió que el rey legitimara; entroncarla matrimonialmente con don Francisco de Anaya, perteneciente a una familia de claro abolengo; y transmitirle la herencia a través de una institución que vinculaba la propiedad sin posibilidad de que se pudiese dividir ni vender: el mayorazgo.

En definitiva, don Diego Maldonado, al que podemos encuadrar dentro de la oligarquía urbana, representa con sus actos un claro ejemplo del hombre de su tiempo. Un clérigo que supo aprovechar aquellos medios que le servían para expresar su poder ante los demás: el apellido, el blasón y la casa solariega. Ahora bien, si por algo se recuerda hoy a este personaje es por haber sido el promotor de uno de los edificios más representativos de la arquitectura civil del plateresco salmantino.

Fig. 8

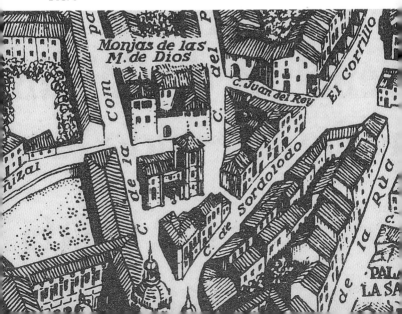

Fig. 9

La construcción
del palacio

Veamos tres aspectos esenciales a tratar en este apartado: la denominación, la ubicación y, finalmente, la construcción propiamente dicha.

Sobre el primer punto, hemos de decir que es la Universidad de Salamanca la que desde 1987 identifica al inmueble con el nombre de «Palacio de Maldonado», frente al rótulo que aparece pintado en la fachada de «Casa de Don Diego Maldonado». Aun así, también se le ha conocido con el sobrenombre de «Casa de los Maldonado de Morille» o, incluso, como «Palacio de la Cruz Roja», por el servicio que prestó durante largo tiempo en el siglo pasado (fig. 9). En el fondo, lo importante es lo que en su día pensasen sobre el tipo de edificio que levantaban.

Los nobles al edificar sus casas solían diferenciar entre las llamadas «casas principales» (aquella que servía de morada al titular y que representaba simbólicamente todo su poder, a través, sobre todo, de los motivos heráldicos y de una mayor suntuosidad constructiva) del resto de inmuebles, que algunos podían estar, como en este caso, colindantes a la principal. Dos de ellos, como veremos, entrarían a formar parte

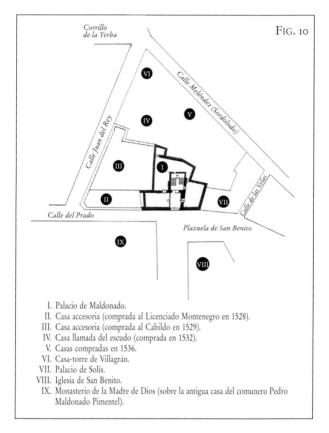

FIG. 10

I. Palacio de Maldonado.
II. Casa accesoria (comprada al Licenciado Montenegro en 1528).
III. Casa accesoria (comprada al Cabildo en 1529).
IV. Casa llamada del escudo (comprada en 1532).
V. Casas compradas en 1536.
VI. Casa-torre de Villagrán.
VII. Palacio de Solís.
VIII. Iglesia de San Benito.
IX. Monasterio de la Madre de Dios (sobre la antigua casa del comunero Pedro Maldonado Pimentel).

del palacio como «casas accesorias», utilizándose como vivienda para criados, caballerizas, bodega, panera… En cuanto a la casa principal, y para el caso que nos ocupa, hemos visto varias formas de denominarla en los documentos a lo largo del tiempo: «casa principal», «casa grande», «casa-palacio» y «palacio».

En cuanto a la ubicación, la casa del camarero está situada en uno de los recodos que guarda mayor valor histórico y artístico de la ciudad. Es una de las muchas edificaciones que el patriciado urbano salmantino levantó en los alrededores de la iglesia de San Benito (fig. 8), ya que aquí vivían muchos de los caballeros que unas décadas atrás a la construcción de este palacio pertenecían al bando de San Benito, enfrentado con el de Santo Tomé. De entre todas las familias que estaban en dicho bando tuvo especial relevancia el linaje de los Maldonado, que a la altura del siglo XVI estaba representado por diversas familias, a veces enfrentadas entre sí: los Maldonado de Talavera, de Barregas, del Maderal, de Espino, de Monleón, etc. De todos ellos, y en esta zona, han llegado hasta nuestros días las edificaciones, o los restos de ellas, de tan sólo tres: la Casa de las Conchas (del doctor Rodrigo Maldonado de Talavera), el vestigio aún visible de la casa del comunero don Pedro Maldonado Pimentel (nieto del anterior, y que fue despojada de su identidad por orden real tras las Comunidades, formando hoy parte del convento de la Madre de Dios) y la de don Diego Maldonado, de la que nos ocuparemos en este estudio. Por tanto, que la casa del camarero gozaba de una ubicación estratégica y privilegiada para la época, pues desde su sala principal se podía observar casi toda la plaza de San Benito, situándose enfrente de las de su aliado don Diego de Acevedo (palacio que estaba ubicado en la calle de la Compañía), además de gozar de la proximidad de la principal plaza de la ciudad, la de San Martín.

Como toda construcción el punto de arranque es el solar que ocupa. Ya vimos que en este lugar se alzaba la casa del caballero don Francisco de Ribas, tío del camarero, y que dichas casas fueron asaltadas en 1520. Aunque don Francisco regresase al año siguiente a la ciudad no volvió a reconstruir esta casa, dejando el solar como herencia a su sobrino en septiembre de 1527. Muerto su tío, don Diego Maldonado debió de concebir un plan para edificar una casa principal acorde a su posición. Todo esto lo prueba un documento de trueque de censo del 12 de julio de 1529 en el que se señala «cierto suelo de unas casas que fueron de Francisco de Ribas que fueron derribadas por el suelo y quemadas en el tiempo de las alteraciones pasadas, de manera que no queda dellas cosa alguna sino el dicho suelo, el qual tiene y posehe al presente el dicho Diego Maldonado». Si esto certifica la herencia del solar y que sobre él no existía ya construcción alguna, sabemos por otro documento fechado un mes antes (14 de junio de 1529) que las obras ya se habían iniciado, cuando el camarero compra unas casas al Cabildo, en donde se anota que «lyndan y confinan con unas casas que al presente labran y hedifican en la plaça de San Benyto el señor Diego Maldonado».

Don Diego Maldonado no se conformó con el solar sobre el que actualmente se sitúa el palacio, sino que adquirió por vía de compra una serie de casas adyacentes a la misma. De este modo, sabemos que en 1528 había comprado al licenciado Montenegro la casa que estaba a la izquierda del solar que le dejó su

Fig. 11

tío (casa que ocupaba parte de la calle del Prado y que hacía esquina con la de Juan del Rey). Al Cabildo de la Catedral le compró una casa con bodega en la calle Juan del Rey en 1529, inmediata a la anterior. Por encima de ésta y en la misma calle adquirió otra casa con bodega en 1532, junto con otra pequeña en 1536, lindando estas últimas con la casa-torre de Villagrán, que hacía esquina con la calle Sordolodo (hoy Meléndez). Por último, en 1536 compró dos casas en la calle Sordolodo contiguas a la dicha casa-torre de Villagrán y a la de don Francisco de Solís (el palacio de Solís, actual sede del Servicio de Publicaciones de la Universidad). En definitiva, que el camarero asoció a su casa principal un conjunto de inmuebles anejos a ella, quedando como el gran propietario de la manzana (fig. 10). Ahora bien, ¿utilizó todas ellas para la construcción de su casa principal?

Conocemos por referencias posteriores que las casas de la calle Sordolodo siempre estuvieron alquiladas a particulares, además de que se adquirieron en fecha posterior a la construcción del palacio. Lo mismo ocurre con la casa limítrofe a la casa-torre de

Fig. 12

Villagrán en la calle Juan del Rey, que incluso se derrumbó alrededor de 1560 y fue reedificada un año después por don Alonso Maldonado (hermano del camarero) en la que esculpió un escudo con las armas de los Maldonado «en la puerta de la toza», razón ésta por la que sería conocida como «la casa del escudo»[2], destinada, junto a la casita colindante, a ser alquilada. Sin embargo, las casas que compró al Cabildo y al licenciado Montenegro hemos de considerarlas como

Fig. 13

casas accesorias a la principal y, por tanto, formarían parte de ella. Las razones que nos llevan a tal aseveración son tres principalmente: por un lado las adquiere con anterioridad o, a lo sumo, al principio de la construcción de la principal; son casas que no se alquilan y en las que participa en su construcción Juan de Álava; documentalmente así se afirma, tanto cuando compra la del Cabildo, «las quales bienen mucho a su propósyto para el alargamiento y servidumbres, suntuosidad e adornamiento de la dicha su casa y edificio que della prosigue», como en otro documento contemporáneo, en donde se señala que «las que se compraron al Ldo. Montenegro y las casas que se compraron a la Yglesia Mayor de Salamanca, estas casas están incorporadas con las principales».

En fin, las casas principales ocupaban una extensión mayor que la actual, dividiéndose en dos partes diferenciadas: el palacio que hoy se conserva con su portada en la plaza de San Benito y que servía de morada para el camarero y, por otro lado, las casas accesorias, que ocupaban parte de la calle del Prado y de Juan del Rey, con uso para bodega, paneras, entrada de caballerizas, vivienda para criados, etc. Cuando se divide el inmueble en el siglo XIX existía un pozo que servía de medianero y uso común entre el patio del palacio y el corral de las casas accesorias.

Sobre las obras en cuestión nos han llegado dos documentos. El primero tiene fecha de 26 de enero de 1531, por el cual Diego de Frías, maestro de carpintería, afirma que ha recibido 77.000 maravedís de los 80.000 acordados por la realización de su trabajo en la casa del camarero, dato que implica que las obras estaban ya muy avanzadas por esa fecha. El segundo documento, de 13 de mayo de ese mismo año, hace alusión a las obras que el cantero Machín de Sarasola realiza sobre los muros –con las puertas y ventanas que se abran en ellos– que se levantan en la calle Juan del Rey. Este documento es muy interesante porque nos revela que la obra se hace bajo la dirección de Juan de Ybarra (Juan de Álava) y de Diego de Frías, señalando que las paredes se han de hacer con mampostería, a excepción de la esquina en que confluyen las calles del Prado y de Juan del Rey, que se levantará con sillarejo. Esto confirma que Diego Maldonado debió tirar –o al menos reformar– las viejas casas del licenciado Montenegro y del Cabildo para construir otras de mayor consistencia que sirviesen de alargamiento del palacio.

Por último, tenemos el dato aportado por el profesor Casaseca, que al estudiar la Casa de Solís (contigua a la del camarero) y en concreto el testamento de su propietario, Melén Suárez de Solís (10-09-1532), revela que por linderos a su casa están «las casas que hedifica el camarero», dato éste que indica que todavía no estaba concluida, aunque creemos que en un estado muy avanzado y que posiblemente haga referencia a las obras de las casas accesorias.

Fig. 14

La fachada

De lo que actualmente se denomina como Palacio de Maldonado nos ha llegado de su traza original –aunque con algunas remodelaciones– la fachada, puesto que el interior, al ser un edificio de carácter civil con servicio para diferentes usos a lo largo del tiempo, ha sufrido importantes modificaciones en su estructura.

La autoría se la debemos a Juan de Álava (también llamado Juan de Ybarra), un maestro de cantería que es el artífice de una parte considerable de la arquitectura renacentista salmantina del primer tercio del siglo XVI. Siguiendo el profundo estudio que sobre su obra realizó Ana Castro, podemos constatar su participación en obras de enorme calidad artística: la Catedral de Salamanca, las Escuelas Menores, la iglesia de San Benito, el monasterio de San Esteban o el Colegio Mayor de Santiago el Cebedeo (llamado del Arzobispo), por citar algunos ejemplos salmantinos.

También es el autor de la emblemática Casa de las Muertes, conocida popularmente con este nombre por las calaveras esculpidas en su fachada, y de la que sabemos documentalmente que así era ya conocida en 1575³. Dicha casa, estudiada entre otros por Álvarez Villar, la construyó Juan de Álava para su morada personal, y aunque no se conoce la fecha de su construcción, se cree que debió levantarla por los años veinte o principios de los treinta del siglo XVI; es decir, contemporánea de la que aquí abordamos. La Casa de las Muertes y el Palacio de Maldonado son las únicas muestras que se conservan de arquitectura doméstica en Salamanca de Juan de Álava, compartiendo similitudes arquitectónicas, por lo que no es de extrañar que las suelan relacionar los historiadores del arte.

Aunque no sea el Palacio de Maldonado uno de los trabajos más destacados de Juan de Álava, en esta obra se impregna el estilo personal del artista, así como algunos de los elementos más característicos del plateresco.

Fig. 15

Sobre la autoría de esta fachada, aparte del documento antes mencionado y de algunas características decorativas que llevan su sello personal, hemos de comentar que no debió costarle gran esfuerzo al camarero contar con la colaboración del arquitecto, pues tanto a uno como al otro les unía un nexo común, que es la vinculación que ambos tenían para con el arzobispo Fonseca.

De la fachada, merece destacarse la portada (descentrada intencionadamente para situarla frente a la plaza), construida con aparejo de buena

FIG. 16

sillería –al igual que los vanos y la cornisa–, siendo el resto de ella –la mayor parte– de mampostería; solución ésta que también podemos observar en otras construcciones contemporáneas (el Colegio del Arzobispo, por ejemplo). Ya vimos las normas dadas por Álava para el muro que se levantaba en la calle Juan del Rey, en donde se insistía en que la piedra estuviese desbastada y revocada, con un grosor de tres pies y medio (96,6 cm) en los cimientos, rebajado a tres pies (82,8 cm) desde el suelo. Con la utilización de la mampostería se consigue resaltar aún más la parte labrada en sillería.

Centrándonos en la portada, ésta se encuentra enmarcada por dos pilastras y una cornisa que ofrecen una forma de alfiz, que, junto a la puerta adovelada, recuerdan a una estructura tardogótica. Así,

FIG. 17

encontramos grandes dovelas con forma de cuña que hacen la función de dintel en la casa del comunero don Pedro Maldonado y en la Casa de las Conchas (la puerta de la Oficina de Turismo), que son obras realizadas entre finales del siglo XV y principios del siglo XVI, de ahí las reminiscencias góticas de influencia hispano-flamenca. La puerta se nos presenta como un arco adintelado, debido al ligero arqueamiento de los salmeres, decorando el intradós con dos figuras monstruosas soportadas por medias zapatas a modo de prótomo (fig. 16), solución que también observamos en el vecino palacio de Solís. Los sillares de las dovelas junto con los que soportan los escudos son de un tamaño mayor que los del resto de la portada, conformada por pequeños sillares.

Como hemos dicho, la portada se encuentra cobijada por un alfiz conformado por dos pilastras y una cornisa que ofrecen una sensación de verticalidad o de portada alargada. Las dos pilastras se sustentan sobre dos ménsulas (figs. 17 y 23) situadas a la altura del dintel de la puerta, por lo que a este tipo de fachadas se les suele denominar como «colgadas» o «de estandarte».

Las pilastras desembocan en dos capiteles que sirven de sujeción a una cornisa moldurada.

Este sistema de alfiz permite al artista enmarcar entre las dos cornisas y a modo de friso el último tramo superior del edificio, sacando esa parte de la fachada hacia el exterior. De este modo, se consigue un efecto de conjunto uniendo todos los elementos desde el suelo hasta el tejado.

Si el alfiz ha servido al artista para enmarcar la puerta, otro tanto hará para la ventana central (hoy balcón), utilizándola como eje articulador para la composición de toda la portada y de la decoración. En este caso, nos encontramos con una ventana adintelada flanqueada por dos pilastrillas encajadas entre la imposta y la cornisa. Si añadimos a esto las pilastras exteriores obtenemos tres rectángulos: los dos laterales, ocupados en su interior por blasones, y el central, ocupado por el balcón, cuyo dintel sirve de excusa para el adorno heráldico.

Todos estos juegos de líneas verticales y horizontales se complementan con los espacios para la decoración; no en vano, las pilastras y la imposta adoptan un papel decorativo. Aparte de estos elementos ya comentados, la decoración se plasma a través de otros tres componentes: los grutescos, los tenantes y los escudos, especialmente concentrados en torno a la ventana central (hoy balcón). Elementos todos ellos

Fig. 18

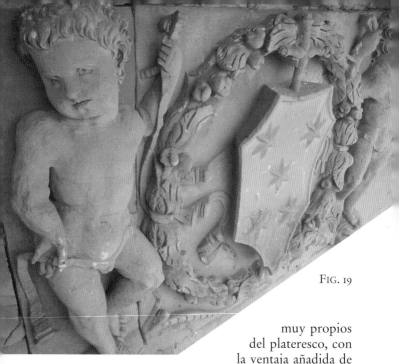

muy propios
del plateresco, con
la ventaja añadida de
que los entalladores podían labrarlos con mayor faci-
lidad sobre este tipo de piedra arenisca.

Los grutescos campean sobre las pilastras y la
imposta. Representan motivos variados e inconexos,
unidos entre sí y labrados a bajorrelieve. Destacan los
querubines alados en la imposta (típicos en Juan de
Álava, como se puede apreciar en el sepulcro del
canónigo Pedro Xerique en la Catedral o en la refe-
rida Casa de las Muertes), amén de los motivos vege-
tales, candeleros y diversos animales fantásticos. Uno
de los grutescos de la pilastra de la izquierda viene
representado por un pequeño escudo apergaminado
con las armas de los Maldonado (fig. 39).

Los tenantes son figuras utilizadas con la finalidad de soportar y mostrar los escudos. El blasón
superior, de tipo italiano y en láurea con cruz acola-
da, vemos que está sujeto por dos *putti* que elevan la
láurea a través de dos cintas (fig. 19). Los tenantes,
esculpidos en altorrelieve –mayor es el volumen en la
parte superior de la fachada que en la inferior–, se

encuentran enmarcados entre las dos cornisas, elevándose sobre dos cabezas. En el resto de escudos –de tipo gótico– los amorcillos descansan su cuerpo sobre una especie de dragones (semejantes a los del zaguán del Colegio del Arzobispo). Todas las figuras están esculpidas con gran maestría, dotándolas de un efecto dinámico, algo a lo que contribuye la magnífica factura de los paños que envuelven a los niños desnudos del escudo situado sobre el balcón. Si nos fijamos en la dirección de las cabezas y extremidades de las parejas de tenantes, éstos se disponen como figuras contrapuestas, de tal modo que si dibujamos una línea vertical que divida la portada en dos mitades podemos observar la gran simetría que se consigue en la ejecución de la misma.

Por último, tenemos los escudos. Si todo lo dicho con anterioridad tiene una finalidad meramente decorativa, en este caso hemos de hablar de un fin representativo, ya que con estos motivos heráldicos la nobleza trataba de mostrar su linaje al resto de la población, como la señal inequívoca del poder que ostentaban.

Fig. 20

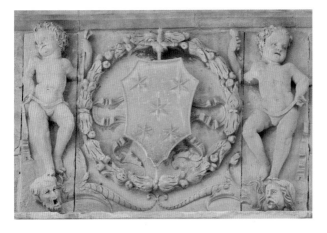

En lo más elevado y, por tanto, en una posición de mayor preferencia, encontramos el escudo de los Fonseca (cinco estrellas), al que además se le enmarca laureado, dando así muestra de homenaje y pleitesía hacia su señor el arzobispo Fonseca (fig. 20). Algo similar se hace en la Casa de las Muertes (morada del arquitecto Juan de Álava), en donde se esculpe el rostro del arzobispo don Alonso de Fonseca II, patriarca de Alejandría.

Debajo del mismo, en segundo lugar en relevancia, encontramos las armas de los Maldonado (cinco flores de lis), señal inequívoca de su linaje (fig. 21). Finalmente, tenemos dos escudos iguales en los laterales del balcón, en donde se representan unidas en un único blasón las armas de los linajes de sus padres: Maldonado y Ribas, que individualizan al promotor (figs. 24 y 25). Estos últimos son escudos partidos y medio cortados, en los que podemos identificar las armas de los Maldonado en la parte izquierda y las de los Ribas en la derecha (visto desde el espectador). En sentido estricto las armas de los Ribas (o Rivas) vienen representadas por una cruz hueca flordelisada (mitad superior de la derecha del escudo), quedando la incógnita de la otra mitad inferior (castillo asentado sobre peñas), al que se le ha atribuido el apellido Morille, Morillo o, incluso, Medrano. Creemos que

Fig. 21

Fig. 22

esto es incierto, puesto que los Maldonado de Morille no enlazaron con los descendientes del camarero hasta finales del siglo XVII. Pensamos que representa la unión de las armas de los Ribas con las de otra familia que no hemos localizado, alianza que debió producirse a lo largo del siglo XV. Estas armas, formadas por la cruz flordelisada y el castillo sobre rocas, las utilizó don Francisco de Ribas en su sepulcro, y también su sobrina doña Isabel de Ribas, como se constata en el Colegio de Santa Cruz de Cañizares.

En el resto de la fachada, aquella construida con mampostería, observamos tres balcones a la altura del piso principal o planta noble, dos ventanas a la altura del entresuelo y otras dos en la planta baja, provistas todas ellas de rejería moderna. Estos vanos están enmarcados con piedra de sillería, luciendo dinteles con pequeños conopios. En cuanto a los balcones de la planta noble, es posible que algunos fuesen concebidos originalmente como ventanas –sabemos que el balcón central así lo fue–, algo más propio de este período constructivo, al observar que pegada al balcón situado en el extremo derecho (visto desde el espectador) podemos apreciar una ventana cegada, posiblemente del primitivo proyecto (fig. 26).

Fig. 23

FIG. 24   FIG. 25

FIG. 26

El interior

Como ya hemos dicho, del interior del Palacio de Maldonado no se conserva su estructura original, debido a las numerosas reformas acaecidas en él a lo largo del tiempo. Aun así debemos llamar la atención sobre algunos aspectos, como las dimensiones y la distribución del inmueble y, sobre todo, en lo concerniente a aquellos restos originales que aún perviven.

Las primeras noticias que tenemos sobre las dimensiones del palacio las encontramos en el Catastro de Ensenada (1753), en donde se indicaba que tenía 44 varas de frente por 33 de fondo (36,78 x 27,58 m, lo que daba una superficie aproximada a los 1.000 m²). Es evidente que en esta medición se incluía el palacio y las casas accesorias, que llegaban hasta la calle de Juan del Rey, sobre todo si la comparamos con la superficie que ocupa el solar del primero, que no alcanza los 300 m², o el hecho de que la fachada actual cuente con poco más de 18 metros de anchura.

De la planta del palacio, no realizaremos comentario alguno debido a las transformaciones sufridas, aunque es evidente que su forma irregular es producto de haberse construido el palacio adaptándose al conjunto de pequeñas edificaciones que en su momento rodeaban al solar.

En cuanto a la distribución de los diferentes aposentos y cuartos, debemos partir de nuevo de lo que nos indica el Catastro de Ensenada: «casa con habitación alta y baja, bodega, corral, caballeriza y pajar». Esta descripción incluye los cuartos del palacio propiamente dicho y de las casas accesorias. Disponemos de más noticias en cuanto al número y tipo de dependencias, variando en el tiempo por razones de

Fig. 27

rehabilitación o readaptación del inmueble, por lo que concluimos que debe parecerse muy poco a su distribución primitiva.

Originalmente, una vez cruzado el zaguán, nos encontraríamos con la escalera principal y el patio (que sabemos que se entoldaba durante los meses estivales), que servían como elementos articuladores para las diferentes dependencias. De este modo, hemos constatado a través de dos descripciones interiores de la casa –hechas en los años 1729 y 1769–, que ésta contaba con

FIG. 28

un patio con pozo y aljibe, una galería, un corredor y un corral. Sabemos que tenía dos escaleras, una grande (la principal) y una secreta (cerrada con una puerta y que desde el patio subía a los «aposentos del cochero» y al corredor). En el entresuelo y el piso principal es donde se distribuían los diferentes cuartos (salas, antesalas, gabinetes, oratorio…), distribuidos entre los que se consideraban de verano (los interiores) y los de invierno (los exteriores, hacia la plaza de San Benito), combinando mampuesto y ladrillo para las paredes. La distribución y el uso de todos estos aposentos variarán con las utilizaciones del inmueble y las costumbres de los tiempos, de ahí que en 1876 se hable del cuarto-tocador, despacho, sala de recibir, salón, etc., y no digamos cuando a partir de 1924 adquiera el edificio la Cruz Roja, que lo adaptará para su cometido con dispensario, cuarto de enfermeros, sala de espera…, todo ello distribuido entre la planta baja, el entresuelo y el piso principal. Tras las últimas reformas, las dependencias se distribuyen entre la planta baja, primera (antiguo entresuelo), segunda (la principal) y bajo cubierta (espacio que anteriormente no se aprovechaba).

A través del inventario dejado por don Diego Maldonado descubrimos la riqueza de enseres que decoraban el interior del palacio, como los tapices, antepuertas, reposteros, alfombras, escritorios, cofres, cuadros, imágenes, etc., además de aquellos que denotaban su condición de clérigo (ornamentos de capilla), otros que indicaban su formación y refinamiento (libros, un tablero de ajedrez o un clavicordio) y también los que delataban el pasado belicoso de la familia (un arnés, un casco, una adarga, una ballesta...).

Sobre lo que se ha conservado de la estructura original, debemos considerar en primer lugar el alfarje situado en la sala principal de la planta noble (figs. 27 y 28). De forma rectangular, recorre una amplia dependencia en la que convergen tres huecos de luces (hoy balcones: el central y los dos de la izquierda de la fachada). En él se disponen unas vigas de madera vistas –las maestras– que se empotran en el muro, sujetas por unas zapatas colocadas en el arrocabe. A estas vigas se les cruzan transversalmente otras menores que cabalgan o se apoyan sobre las maestras, creando un espacio entre ellas en donde se colocan los casetones o artesones. Similar techumbre, de influencia mudéjar, podemos verla en el palacio vecino de los Solís y en otras muchas construcciones de la época en Salamanca. No destaca por su decoración (si exceptuamos los cordeles que recorren las vigas maestras), al contrario de otros alfarjes contemporáneos, y no se coloreó, como era costumbre en los artesonados medievales, prefiriendo la sobriedad de la madera vista. En cuanto a su autoría, es plausible poder atribuirla al maestro carpintero Diego de Frías, quien participó en los artesonados del Colegio del Arzobispo.

En cuanto al aljibe (figs. 28 y 29), descubierto durante las últimas obras de rehabilitación, es de los mejor conservados en Salamanca. Se sitúa en la actual sala de exposiciones (antiguo patio), cuya finalidad era la de recoger las aguas, sirviendo de depósito de las mismas.

FIG. 29

FIG. 30

Tiene 3,70 metros en su eje longitudinal por algo más de 2,5 metros de anchura, cubierto por una bóveda de medio cañón ligeramente apuntada, realizado todo ello con ladrillo macizo rejuntado y abundante argamasa, alcanzando en su clave los 2 metros de altura. En la esquina noroeste del aljibe se localiza la boca del mismo, realizado con los mismos materiales, formando un cilindro de medio metro de diámetro sobre el que se dispondría un brocal. Felizmente, se ha conservado e incluido en la estructura del nuevo edificio.

En el zaguán encontramos un amplio vano cuadrangular que comunicaba éste con el entresuelo, cuya función sería la de aportar mayor luminosidad al interior proveniente del patio.

Interesante es señalar la solución dada a los vanos en su interior, con un arco festonado para el balcón central y rebajado para el resto, todos ellos ligeramente abocinados para incorporar las fallebas que posibilitaban el cierre de las ventanas, además de mejorar la visibilidad en las salas.

Fig. 31

Fig. 32

En la planta baja, en la actual recepción, se conserva un amplio hueco con forma de puerta muy cercano al muro medianero del edificio colindante, lo que nos demuestra que comunicaba con la casa accesoria (fig. 31). Por otro lado, en la sala de exposiciones (antiguo patio), se levantaba un gran arco escarzano del que se ha conservado una muestra en el entresuelo o primer piso, y que por su disposición nos lleva a pensar que comunicaba igualmente con los corrales de la casa accesoria (fig. 32).

Un palacio reformado

Es lógico que una casa con casi cinco siglos de antigüedad no mantenga su estructura intacta y haya sido necesario llevar a cabo, tanto en el exterior como en el interior, las reformas pertinentes, algunas para evitar su ruina y otras para adaptarlo a los usos, necesidades y gustos del momento.

Ya en 1583 tenemos noticia, aunque no se especifique detalle alguno, de «reparos en el mejoramiento de la casa grande de San Benito». No es cuestión de pormenorizar –aparte de que sería imposible conocer todas las actuaciones en este sentido– todas las reformas emprendidas desde entonces, pero señalaremos algunas que creemos esenciales y que nos sirven de ejemplo de lo que significaba el mantenimiento de un inmueble de estas características.

Para la fachada tenemos las cuentas del administrador del mayorazgo para los años 1775-1787. De este modo, sabemos que era una práctica frecuente ejecutar reparos en los tejados y puertas, así como en las estructuras debilitadas externas e internas (se habla de carretadas de piedra y de diversas cantidades de cal, arena, ladrillos...). Pero la obra más importante en este sentido fue la transformación de la ventana central en el balcón hoy existente, de ahí que incluyamos un montaje fotográfico de cómo debió ser su aspecto original (fig. 33).

Esta obra se efectuó en octubre de 1779 y estuvo supervisada por el arquitecto municipal Simón Gavilán Tomé, ya que una reforma de estas características necesitaba de la aprobación del consistorio; no en vano, hemos visto muchas peticiones en este sentido –apertura de balcones– durante este período. La obra consistió en quitar el antepecho de la ventana (de ahí que tuviese que rasgarse parte de la imposta) y poner un balcón de hierro con dos remates de bronce en las esquinas, además de incluir una pieza de pizarra para

Fig. 33

la base del mismo. La finalidad no era otra que la de mejorar la luminosidad sobre el gabinete de invierno, algo que impedía la torre de la iglesia de San Benito y el escaso tamaño de la ventana. Esto lo explica perfectamente el citado arquitecto en su informe: «según los antiguos acostumbraban a pocas luces las avitaciones principales en contraria opinión a la vida moderna, según lo manifiesta la experiencia en la ventilación de los aires y sus saludables efectos». Curiosamente, nos dice que el balcón debe ser semejante al que «hoy existe en la dicha fachada», dato que nos hace intuir que el palacio sólo disponía de uno con anterioridad.

Si comparamos la fotografía más antigua que se conserva del palacio (hecha por Casiano Alguacil a finales del siglo XIX) con otras que se hicieron poco después de 1925 (una vez finalizadas las reformas llevadas a cabo por la Cruz Roja) podemos comprobar algunos cambios significativos: el picado de la parte de la fachada de piedra de mampostería, ya que con anterioridad estaba cubierta por un enfoscado, que suponemos de cal; la modificación del portón; o la apertura de la ventana derecha de la planta baja (izquierda del espectador) en 1924, aprobada por el arquitecto municipal Genaro de Nó, simétrica a la existente con anterioridad en el lado opuesto.

En cuanto a las recientes intervenciones de los años 2007 y 2008, proyectadas por los arquitectos Luis Ferreira y Eduardo Dorado, se han acometido algunas actuaciones que resultaban imprescindibles: la limpieza de la fachada y, sobre todo, un cambio de cubierta, ya que el anterior tejado se encontraba en un estado lamentable, lo que produjo un importante problema de humedades que repercutieron negativamente sobre las cornisas (que se han recompuesto a imitación de las anteriores) y en el interior del inmueble (humedades que afectaron al artesonado).

Sobre las reformas internas, hemos de señalar que éstas han sido muy numerosas, y puesto que no guarda ya apenas relación la estructura interna con la que tuvo originalmente, sólo señalaremos algunas a modo de ejemplo. En 1609 se amoldaron unos cuartos para la cárcel escolástica y se adaptó parte del corredor como capilla para los presos. En 1731 se incrementó el número de dependencias, pasando de 17 a 25. Entre los años 1775 y 1788 se efectuaron

FIG. 34

Fig. 35

diversas actuaciones: reparos en los suelos, golfos para ventanas, cambios de vidrieras, etc. La Cruz Roja en los años 1924 y 1925 remodela todo su interior, hasta el punto de que se dice que la casa fue «desvencijada en su interior», aunque también realizaron trabajos de restauración, como en el caso del alfarje. Estas obras –las de la Cruz Roja– son las que cambiaron totalmente la fisonomía original del palacio.

Dejando aparte las actuaciones emprendidas por la Universidad desde 1987, las últimas reformas han tenido como finalidad primordial la adaptación interna del palacio como sede de la Fundación Cultural Hispano-Brasileña y del Centro de Estudios Brasileños, lo que implica para una obra de estas características aunar criterios de funcionalidad con los del respeto patrimonial, ya que hablamos de un palacio con casi cinco siglos de antigüedad. Desde el punto de vista artístico, destacamos especialmente el rescate del aljibe (obligando a rebajar el nivel del suelo), la restauración del alfarje o el haber conservado la puerta y parte del arco que comunicaban con las casas accesorias (fig. 35).

CASA D. DON DIEGO
MALDONADO

FiG

Los propietarios

Debemos completar el estudio sobre el Palacio de Maldonado realizando una breve reseña sobre quiénes han sido sus moradores (propietarios y arrendatarios), ya que éstos fueron y son los responsables del mantenimiento del edificio y de las sucesivas transformaciones acaecidas en él.

Ya dijimos que el palacio fue mandado construir por el camarero don Diego Maldonado, que lo utilizaría como morada personal hasta el fin de sus días (1544). Pensando ya en perpetuar su herencia, don Diego tenía una hija natural (doña Ana Maldonado) nacida con anterioridad a 1514, por lo que su primer paso consistió en conseguir la licencia real para legitimarla (1534). Al año siguiente, concierta el matrimonio de su hija con el regidor don Francisco de Anaya, miembro de una de las familias salmantinas más destacadas, ya que era hijo de Juan Maldonado «el bueno» (señor de Barregas). Para este matrimonio se necesitó dispensa papal porque entre los contrayentes existían lazos de consanguinidad en tercer grado, hecho que revela la fuerte endogamia entre las familias de la nobleza.

El siguiente paso del camarero consistió en fundar un mayorazgo para su hija (1535) en el que quedasen vinculadas sus propiedades, entre ellas, el palacio de reciente edificación. En dicho mayorazgo se fija el orden de las líneas de sucesión para la herencia del mismo, ordenando a sus testamentarios que en el caso de que su hija no tuviese descendencia legítima se vendiese el palacio y, con su importe, se comprase hacienda raíz para que con su renta se fundase una memoria para ayudar a casar doncellas. Como veremos, doña Ana Maldonado no tuvo hijos, a pesar de lo cual no se cumplió dicha manda testamentaria, quizás porque nadie lo denunció y se optase por obviar la cláusula en beneficio de otras líneas sucesorias.

Don Diego Maldonado, además, compró en aquel mismo año de 1535 un arco con dos sepulturas situado a los pies (bajo la antigua tribuna) de la parroquia de San Benito para sus herederos (fig. 37), pues recordemos que él lo hará junto al arzobispo Fonseca. Una de ellas sería para su hermano mayor, don Pedro Maldonado, y la otra para los sucesores del mayorazgo (según reza la inscripción del arco, a finales del siglo XVII lo eran don Antonio Maldonado Bracamonte y Sabanza y su mujer doña Catalina Vela Girón y Guzmán).

Fig. 37

Como hemos dicho, doña Ana Maldonado, que ocupó la casa de su padre hasta su muerte en 1572, no tuvo hijos, pasando la sucesión a la siguiente línea llamada en el mayorazgo, en este caso, los descendientes del hermano mayor del camarero –don Pedro Maldonado–, quedando como única heredera en dicho año su nieta: doña María Maldonado.

Si consideramos al camarero como la principal figura de su familia, tampoco le fue a la zaga su hermano menor, don Alonso Maldonado, racionero de la Catedral, que viendo por dónde podían acabar todos los bienes vinculados de su hermano, concertó el matrimonio de uno de sus hijos naturales, don Diego Maldonado, con su sobrina-nieta, la citada doña María Maldonado. Don Alonso también había fundado un vínculo en 1563 a favor de doña María (condicionado a efectuarse el dicho casamiento), que se agregaría, junto con el mayorazgo del camarero, en el sucesor del matrimonio antes mencionado.

El mayorazgo implicaba que no se pudiesen dividir ni vender los bienes inscritos en él, por lo que era una forma de vincular y perpetuar el patrimonio al linaje (encabezado por el mayor de los hijos varones), evitando las múltiples particiones de una herencia entre los distintos familiares. Por otro lado, lo importante no consistía sólo en conservar el patrimonio, sino que se procuraba acrecentarlo a través de un entramado de estrategias matrimoniales entre familias de similar rango social y económico. Por esta razón, con el paso del tiempo podemos observar cómo los propietarios del palacio acaparan distintos vínculos y mayorazgos, fruto de tales enlaces, y que se suele reflejar en la retahíla de apellidos que añadían al nombre, como hemos visto anteriormente en el caso de don Antonio Maldonado Bracamonte y Sabanza.

Prueba de lo dicho lo tenemos con doña María del Carmen Maldonado Pizarro Bracamonte y Sabanza, décima poseedora en 1769 del mayorazgo fundado por el camarero, que al tomar posesión del mismo relacionaba la totalidad de vínculos y mayorazgos que le pertenecían: el vínculo fundado en 1563 por don Alonso Maldonado (hermano del camarero), el de don Francisco Puebla de Mesa, el fundado por don Diego de Retes, el mayorazgo del contador don Juan de Sabanza (heredados los tres últimos en 1640) y el mayorazgo de los Maldonado de Morille (en cuyos titulares recayó el mayorazgo del camarero en 1691). Añadamos que la dicha doña María del Carmen Maldonado se casó con don José Ramón Ramírez Uribe, poseedor de un gran número de propiedades en Lucena (Córdoba), quien en 1795 obtuvo el título de conde de las Navas.

Fig. 38

Ahora bien, que se fuesen agregando diferentes mayorazgos a la familia no implicaba siempre una mayor riqueza de sus poseedores. Una mala gestión de los mismos por excesos en la ostentación, la falta de liquidez inherente a la imposibilidad de ventas de las propiedades vinculadas o una sentencia desfavorable tras un largo pleito podían provocar la ruina de su titular. Así, tenemos el ejemplo de don Diego Maldonado (viudo de doña María Maldonado, sobrina-nieta del camarero, y curador en estos momentos de su hijo menor de edad) que por deudas estuvo algún tiempo en la cárcel de la Chancillería en Valladolid a principios de los años ochenta del siglo XVI[4]. La ruina de este último continuó con su sucesor, don Pedro Maldonado, quien en su testamento declaraba que «quedó muy pobre y con empeños». Serán los bienes del mayorazgo de los Sabanza (1640) los que permitan la recuperación económica de los propietarios del palacio.

En los años 1836 y 1841 se aprobaron las leyes que supusieron la derogación del mayorazgo como institución, por lo que los poseedores de los mismos tenían ya plena libertad para poder dividir y vender los bienes vinculados. Doña María Dolores Pizarro Ramírez, última heredera del palacio que tiene lazos de sangre con el camarero don Diego Maldonado, vende dicho palacio junto con las casas colindantes el 14 de octubre de 1858 a don Fulgencio María Tabernero.

Entre los años 1858 y 1873 el palacio, junto con las casas de alrededor, pasó por diversos propietarios (José Ojesto, el conde de Francos...), en una época de frenética actividad de compra-venta de inmuebles con fines especulativos. Sabemos que en 1865 el palacio se segregó definitivamente de sus casas accesorias de la calle del Prado y de Juan del Rey que, recordemos, formaban una sola finca. Finalmente, en

1873 compra el palacio Rafael Martín Hernández, cuya familia lo disfrutó hasta 1924, año en que se vende el inmueble a la Cruz Roja.

Por último, en 1987 la Universidad de Salamanca adquiere el Palacio de Maldonado, siendo utilizado para servicios culturales y de orientación universitaria. En 2001 destinó el inmueble para los recién creados Centro de Estudios Brasileños y Fundación Cultural Hispano-Brasileña, como delata el vítor de la fachada dedicado al entonces Presidente de Brasil Fernando Henrique Cardoso (2002). En 2005, con motivo de la XV Cumbre Iberoamericana celebrada en Salamanca, en presencia del Presidente de Brasil Lula da Silva y del Presidente de la Junta de Castilla y León Juan Vicente Herrera, se firma un memorando de entendimiento entre la Embajada de Brasil, la Junta de Castilla y León, la Universidad de Salamanca y la Fundación Cultural Hispano-Brasileña para la restauración del Palacio y su adaptación definitiva como sede de esta última y del Centro de Estudios Brasileños, colaborando dichas instituciones en la financiación de las obras de rehabilitación correspondientes. La inauguración oficial del mismo tuvo lugar el día 21 de noviembre de 2008, con motivo de la clausura de un congreso internacional de «brasileñistas» celebrado en Salamanca.

Fig. 39

El palacio
y la Universidad

Los propietarios del palacio no siempre utilizaron el inmueble para su morada personal, sino que prefirieron arrendarlo a particulares o a instituciones. Las razones que llevaron a tal decisión fueron diversas, como la de vivir en otra ciudad (Valladolid, Jaén, Lucena) o los pingües beneficios que reportaba un arriendo de estas características. De este modo, hemos constatado la ausencia en el palacio de sus propietarios durante amplios períodos de tiempo, como el que transcurre de 1583 a 1693 y entre 1776 y 1858.

El tipo de inquilino para un inmueble de estas características debía de contar con cierta solvencia económica, de ahí que haya podido ser ocupado por un juez recaudador, un canónigo de la Catedral, el administrador del mayorazgo o un notario. El caso más significativo fue el de don Fernando Nieto de Silva Pacheco, marqués de Cerralbo y conde de Alba de Yeltes, que vivió en el palacio en 1692, lo que nos da una idea del prestigio de este tipo de inmueble para la época[5].

Por otro lado, la relación de este palacio con la institución que actualmente lo posee –la Universidad de Salamanca– no se reduce a los últimos años, sino que individuos o instituciones vinculados con el Estudio salmantino han figurado también a lo largo del tiempo como inquilinos del mismo: estudiantes, profesores, colegios y cargos institucionales (como el rector Gaspar de la Cueva en 1616).

Tenemos así el colegio de San Bernardo, que ocupó temporalmente el inmueble en 1814 por hallarse inhabitable el propio tras los acontecimientos de la Guerra de la Independencia. Otro tanto podemos decir del colegio de San Pedro y San Pablo en 1626, aunque éstos por razones económicas, ya que aquí pagaban una renta menor. Del contrato de alquiler con estos últimos destacamos esta cláusula significativa: «es condición que se an de poner las ynsinias e imágenes de San Pedro y San Pablo en las puertas principales, de manera que no cubran las armas (refiriéndose a los escudos) ni caven las paredes ni agan daño a las dichas casas»[6].

De entre los particulares destacamos, en relación con la Universidad, a Nicolás María de Sierra, catedrático de Retórica, que vivió en el palacio entre 1800 y 1803. Igualmente tenemos la presencia de varios estudiantes que vivieron en la casa en el siglo XVII, bien individualmente, bien formando grupos de dos a cuatro personas. Algunos de ellos procedían de Indias,

Fig. 40

como el caso de cuatro estudiantes que alquilaron el palacio en 1637, de procedencia tan lejana como Santo Domingo, Puerto Rico o Santa Fe de Bogotá[7].

Pero, sin duda, los personajes más importantes relacionados con la Universidad que pasaron por este palacio fueron los maestrescuelas Francisco Gasca Salazar (1584-1599) y su sucesor Juan de Llano de Valdés (1599-1615), quienes vivieron en el palacio durante el tiempo en que ejercieron su cargo, hasta el punto de que en un contrato de alquiler de 1620 se recordaba al palacio como «las casas principales que solían vivir en ellas los maestrescuelas».

El maestrescuela, llamado también cancelario, era la figura, junto con el rector, más importante del gremio universitario, que velaba por el cumplimiento de los estatutos y, por tanto, era el encargado de cursar las causas civiles y criminales en que se viesen implicados los miembros de la comunidad universitaria. Por ello, dependían de él la audiencia escolástica y la cárcel de la Universidad. Además, era el responsable de la colación de los grados mayores (licenciamientos y doctoramientos).

Cuando un estudiante optaba al grado de licenciado o de doctor se le requería que hiciese una petición y una presentación ante el maestrescuela con varios testigos, entre los que se encontraban varios doctores y maestros, además del padrino (fig. 42). La presentación se solía hacer en la casa

Fig. 41

del propio maestrescuela, de ahí que sepamos que Gasca Salazar vivió en el palacio de Maldonado entre 1585 y 1599, inmueble que también utilizó su sucesor en el cargo –Llano de Valdés– desde ese último año hasta su fallecimiento en 1615. La primera referencia escrita que tenemos es del 24 de octubre de 1585, en donde se dice: «se juntan dentro de las casas y morada que llaman del camarero a San Benito, donde al presente vive y posa el dicho señor maestrescuela»[8]. Como vemos, cuarenta años después de la muerte de don Diego Maldonado, la memoria colectiva seguía identificando al inmueble con el sobrenombre de su promotor.

Por tanto, la vivienda del maestrescuela no tenía sólo una función privada, como morada del susodicho, sino que se utilizó como un espacio más en el

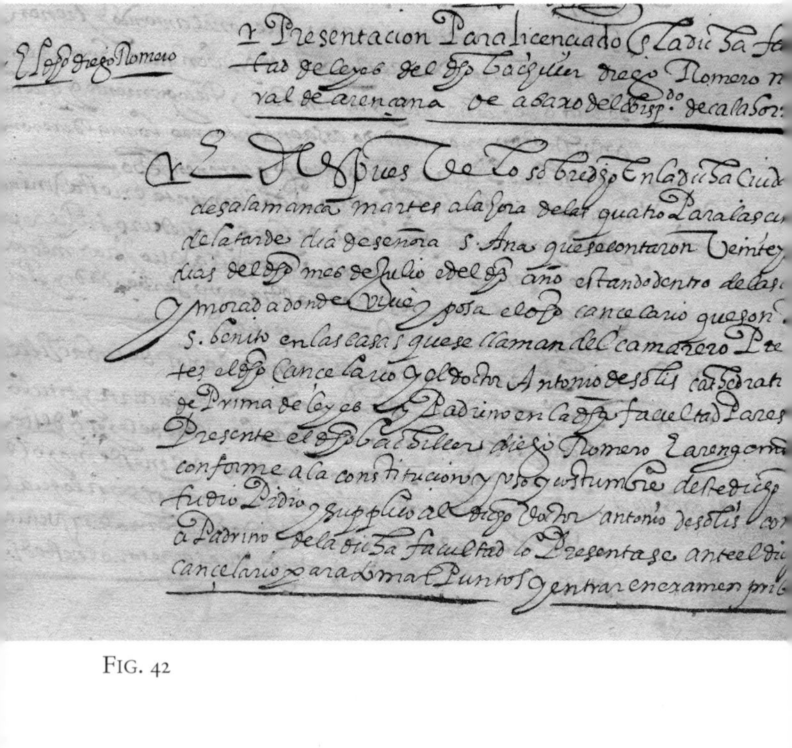

Fig. 42

cotidiano funcionamiento de la Universidad, máxime cuando desde aquí partía uno de los actos con más pompa y boato del Estudio, como era la procesión académica de la víspera del grado de doctor o maestro, cuyo recorrido ya representara gráficamente el profesor Rodríguez-San Pedro.

Por otro lado, el maestrescuela estaba al cargo de la cárcel escolástica, que normalmente se ubicaba en su propia residencia, algo que podemos comprobar a través de la renovación de su contrato de alquiler en 1595, en donde se dice que los presos «están sobre lo que suele ser caballerizas, que aora es cárcel, y que an hecho algunos daños en las paredes e suelos»[9]. Lógicamente, la cárcel no se ubicaba en ninguno de los cuartos del actual palacio, sino que se habilitaron para tal fin las caballerizas, situadas en las casas accesorias que daban a la calle del Prado y de Juan del Rey.

Gasca Salazar fue además un cancelario no falto de polémica, tanto por sus ausencias en aquellos claustros a los que estaba obligado de presencia, como por su rigidez disciplinaria, como demuestra el hecho de haber tenido preso durante veinte días al maestro Muñoz, catedrático de Astrología en 1591. Significativos son también los sucesos acaecidos durante 1594, en plena visita del reformador Zúñiga, cuando algunos presos denunciaron que llevaban más de un año en la cárcel en condiciones miserables, pasando frío y hambre, comiendo tan sólo de lo que les daban a través de una pequeña ventana que daba a la calle. Además corrían el riesgo de enfermar (afirman que tienen llagas por el cuerpo) debido a que «el calabozo está manado de agua». Las condiciones de insalubridad eran tales que en el claustro se definió la cárcel como «pestífera, húmeda, sucia y oscura». Como consecuencia, dos estudiantes presos intentaron huir con la ayuda de una palanca de hierro (de ahí la denuncia posterior de don Pedro Maldonado, titular

FIG. 43

del palacio, sobre los desperfectos en las paredes),
acto que quedó frustrado ante la atenta vigilancia del
maestrescuela, que inusitadamente les reprendió
sentenciándoles a sufrir tormento, y que tras aplicár-
selo a uno de ellos levantó un gran escándalo en el
claustro universitario.

Las denuncias en los claustros sobre esta situación
provocaron que se anunciasen las reformas pertinentes para la cárcel: nueva ubicación o mejora de la
misma, atenciones por parte de la cofradía de la cárcel
(que no se había constituido desde su fundación en
1568) y, sobre todo, mejoras en el sistema procesal
para evitar que los presos estuviesen largos períodos
de tiempo en la cárcel previo a la celebración de
juicio. Debieron de tomarse algunas medidas tras los
nuevos estatutos de Zúñiga, aunque sin duda insufi-
cientes, pues las quejas continuaron[10] y en 1608 se
vuelve a elevar al claustro la misma petición sobre el
pésimo estado de la cárcel, sobre todo en lo concerniente a la capilla. Habrá de pasar un año (1609) para
que se efectúe un mejor acondicionamiento de la
misma a la espera de su ubicación definitiva. Se habi-
litó una capilla para que los presos oyesen misa en el

corredor de la casa principal y se les debió de tras-
ladar a otro cuarto de las casas accesorias del palacio
con mayores condiciones de salubridad.

Hasta tal punto llegaron las relaciones entre la
Universidad y el titular del palacio, don Pedro
Maldonado, que se emprendieron las gestiones para
la compra de la casa en ese mismo año de 1609, que
creemos que fracasaron ante el obstáculo de tratarse
de una propiedad sujeta a mayorazgo. Al final, los
lazos entre ambas partes acabaron en juicio, cuando
la Universidad tuvo que indemnizar a don Pedro
Maldonado en 1617 por los daños causados por «las
rexas y estrados y otras cosas que se pusieron en sus
casas para la cárcel».

FIG. 44

FIG. 45

Notas

[1] Por razones de edición, hemos preferido omitir las referencias bibliográficas que hacen alusión a otros investigadores de los que nos sentimos en deuda. Por otro lado, aquí sintetizamos muchos aspectos ya tratados por nosotros en otra obra (*Don Diego Maldonado, camarero del arzobispo Fonseca: vida, casa y mayorazgo*. Caja Duero: Salamanca, 2007). Aun así, hemos incorporado información que no incluimos en aquel trabajo: todo lo relacionado con el interior del palacio, al permanecer éste cerrado; otros aspectos que fueron intencionadamente relegados; y están los datos que han surgido al calor de nuevos hallazgos en la investigación. Sólo para aquella información novedosa extraída de algún archivo incluiremos la pertinente referencia en una nota al final del texto.

[2] Archivo Histórico Provincial de Salamanca. Protocolos Notariales. Signatura 4.217, folio 197r.

[3] A.H.P.Sa. Protocolos Notariales. Sig. 4.614, fols. 1.333r.-1.334v.

[4] Archivo Diocesano de Salamanca, legajo 43, n.º 4. El encarcelamiento vino provocado por las deudas contraídas por Diego Maldonado, que se había gastado parte del importe de los bienes libres dejados en herencia por su padre, Alonso Maldonado, a Martín de Zaldo, heredero de los mismos.

[5] A.H.P.Sa. Protocolos Notariales. Sig. 4.776, fols. 1.095r.-1.118v.

[6] A.H.P.Sa. Protocolos Notariales. Sig. 3.520, fols. 641r.-648v.

[7] A.H.P.Sa. Protocolos Notariales. Sig. 3.540, fol. 786r./v.

[8] Biblioteca de la Universidad de Salamanca. AUS/780, fol. 144. Debió comenzar a vivir en esta casa pocos meses antes, ya que en abril de ese mismo año se formó una comisión en el claustro encargada de la búsqueda de una residencia apropiada para el maestrescuela, que no estuviese «lexos e a partes remotas» de las escuelas. La razón, las diferencias que se produjeron entre el Cabildo y el maestrescuela por la elevada renta de la casa en donde vivía con anterioridad (BUS-AUS/54, fols. 14v. y 44v.).

[9] A.H.P.Sa. Protocolos Notariales. Sig. 4.672 (s/f).

[10] En 1593, así como en los años posteriores de 1596 y 1597, algunos estudiantes presos elevaron sendas quejas ante el notario público Diego López por la pasividad del maestrescuela a tomarles declaración. Los escritos del dicho escribano se tomaron *in situ*, tras la reja de la ventana del calabozo. A.H.P.Sa. Protocolos Notariales. Sigs. 3.724, 3.727 y 3.728.

Índice de ilustraciones

Acabose de imprimir y encuadernar,
este libro, el jueves 2 de abril de 2009,
en los talleres salmantinos de Kadmos,
víspera del *viernes de dolores*.
Celebrando la onomástica de
San Francisco de Paula,
ermitaño y taumaturgo

FERNANDO HENRIQVE CARDOSO

PRESIDENTE DE LA REPVBLICA FEDERATIVA DE BRAZIL

MAYO 2002